# DOKi
# CONTRE-ATTAQUE

*À mes parents.*
C. Piochon

Les mots du texte suivis du signe * sont expliqués
sur le rabat de couverture.

**www.editions.flammarion.com**

87, quai Panhard-et-Levassor – 75647 Paris Cedex 13
Dépôt légal : février 2011 – ISBN : 978-2-0812-3020-0 - N° d'édition : L.01EJEN000346.N001
Loi n°49-956 du 16 juillet 1949 sur les publications destinées à la jeunesse

Marc Cantin & Isabel          Caroline Piochon

# DOKi
# CONTRE-ATTAQUE

Castor Poche

# DRÔLE DE VOISINE

– **D**oki est ici ! crie une voix. On le tient !

Les lueurs des torches illuminent la nuit. Elles convergent\* en direction d'une clairière entourée de bambous. Une créature étrange tente de s'y cacher.

– Laissez-moi tranquille ou vous le regretterez ! menace-t-elle en restant dans la pénombre.

Malgré son ton intimidant et sa silhouette trapue\*, Doki n'effraie pas ceux qui le pourchassent. Le cercle des torches se referme sur lui. Il ne peut plus fuir.

– Arrêtez ! Ne lui faites pas de mal…

J'ouvre un œil, réveillée par ma propre voix. Quel cauchemar ! Et quelle créature bizarre ! Mais pourquoi tous ces hommes voulaient-ils la tuer ?

Je me frotte les yeux pour chasser ces images. Depuis que j'habite au Japon, au pied du mont Myoko, je fais des rêves incroyables. Mon père m'avait prévenue que tout serait très différent ici ! Heureusement, mon demi-frère, Zaka, ma belle-mère, Kimi, et sa fille, Makoto, m'aident à m'adapter à ce drôle de pays.

Bien sûr, Maman me manque. Seulement, son travail de diplomate l'oblige à parcourir le monde. Alors, à moins d'habiter dans sa valise, je ne la verrais pas davantage en France.

J'étouffe un bâillement. Si je parle le japonais depuis longtemps grâce à Kimi, j'ai encore du mal à l'écrire. Je dois travailler beaucoup pour suivre le programme scolaire. Pas étonnant que je sois fatiguée et que je m'endorme sur mes cahiers.

Je m'apprête à reprendre mes devoirs quand un cri me fait sursauter. Je reconnais la voix de notre voisine, la vieille Yamashita, et je me précipite à la fenêtre de ma chambre.

– Sales garnements ! peste-t-elle. Ils ont encore lancé de la boue sur ma barrière. Si je les attrape, je leur coupe les doigts et je les mets à bouillir dans ma soupe !

L'instant d'après, je vois Zaka et son meilleur copain passer sur le chemin comme des fusées. Leurs mains sont couvertes de boue. Inutile d'être détective pour deviner qu'ils sont responsables de ce mauvais tour. D'un autre côté, je les comprends.

Madame Yamashita ne fait rien pour qu'on l'apprécie, et son apparence ne donne pas envie de la fréquenter. Elle est voûtée, elle n'a plus beaucoup de dents, et elle s'habille avec des vêtements rouge sang. Il paraît que ce sont des habits traditionnels, mais cette couleur contraste avec sa pâleur cadavérique et achève de la rendre effrayante. Mon petit frère prétend que c'est une sorcière et, pour une fois, je suis d'accord avec lui. Elle semble attendre la moindre occasion pour poursuivre les enfants en les menaçant avec une branche de sugi[1]. Par chance, elle ne court pas vite !

Zaka et son copain disparaissent au coin de notre maison pendant que la vieille Yamashita continue de maugréer*. Je referme la fenêtre en souriant.

[1] Sugi : cèdre du Japon.

Jade craint sa voisine, Madame Yamashita. Cette vieille femme ne lui inspire rien qui vaille...

Chapitre 2

# une HORRiBLe soiRée

**J**'ai enfin terminé mes devoirs. Le soleil se cache derrière la montagne qui s'élève au dos de notre maison et une grosse lune ronde apparaît dans le ciel. Le mont Myoko prend une allure sombre et mystérieuse. C'est un royaume qui ne dort jamais.

– Les enfants ! appelle Kimi.

Nous arrivons tous les trois en même temps dans le salon où elle nous attend avec mon père.

– Que se passe-t-il ? s'inquiète Makoto.

– J'ai réussi à obtenir des places pour un spectacle à Sendai[1], explique ma belle-mère. Jean et moi partons tout de suite pour être à l'heure. Nous mangerons en ville et nous rentrerons tard.

– Chouette ! se réjouit Makoto. On reste seuls ce soir !

– Bien sûr que non, reprend Kimi. Nous avons demandé à la voisine de venir vous garder.

[1] Sendai : très grande ville du Japon située à 350 km de Tokyo.

– Quoi ? La sorcière ? s'écrie Zaka en pâlissant.

– Pas la vieille Yamashita ! s'exclame Makoto.

Je soupire :

– Vous êtes obligés d'aller voir ce spectacle ?

– Les enfants ! gronde Kimi. Madame Yamashita est une personne charmante en qui nous avons entièrement confiance. Elle sera là dans dix minutes. Je veux que vous lui réserviez un excellent accueil. C'est une femme âgée et vous lui devez le respect !

Tête basse, nous promettons d'être gentils. Mon père et Kimi quittent la maison et, un instant plus tard, nous entendons leur voiture s'éloigner.

Le silence revient.

Nous restons immobiles au milieu du salon, l'oreille aux aguets, sans dire un mot. Soudain, un bruit de pas se rapproche.

– C'est elle ! panique mon petit frère en se cachant derrière moi.

– L… la sorcière ! je bafouille. Elle va nous empoisonner !

– Arrêtez de faire vos bébés, se plaint Makoto d'une voix chevrotante. Ce n'est que notre voisine après tout.

– C'est la vieille Yamashita ! rectifie Zaka en frémissant.

On frappe à la porte. Trois coups.

– Puisque tu n'as pas peur, je dis à Makoto, ouvre !

On frappe plus fort. Makoto prend une grande inspiration. Elle s'avance lentement en tendant une main tremblante vers la poignée. Elle tourne la clé et fait coulisser la porte.

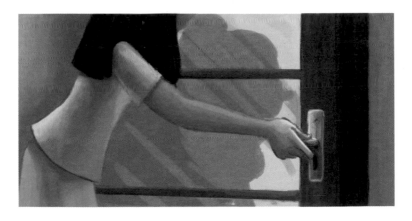

Madame Yamashita, plus rouge et voûtée que jamais, apparaît dans l'encadrement.

– Pas trop tôt, grogne-t-elle. J'ai failli attendre !

Nous la saluons sans un mot. Elle retire ses chaussures et enfile les chaussons réservés aux invités.

– Il est bientôt dix-neuf heures, déclare-t-elle en se dirigeant vers la cuisine. Je vais vous préparer à manger.

– Euh… je n'ai pas très faim, dit Makoto d'une petite voix.

– Moi non plus, j'ajoute.

– Et moi, j'ai mal au ventre, se plaint Zaka.

– Dommage, ricane la vieille Yamashita, je comptais vous mijoter une bonne soupe aux doigts bouillis !

Zaka pousse un cri et nous partons tous les trois en courant pour disparaître dans nos chambres !

Terrifiés par la présence de Madame Yamashita, Jade, Makoto et Zaka se réfugient dans leurs chambres.

Chapitre 3

# une visite tardive

**S**eule dans ma chambre, les bruits de cuisine me paraissent encore plus effrayants. Je m'apprête à allumer mon ordinateur pour voir si Maman m'a envoyé un message, quand j'entends un grattement.

Un court instant, j'imagine que la vieille Yamashita essaie d'ouvrir ma porte !

*Grat ! Grat !*

Le bruit vient de ma fenêtre. Je suis immédiatement rassurée en découvrant la frimousse d'Akihiro au carreau !

Je me dépêche de lui ouvrir et il se jette dans mes bras.

– Ouf ! souffle-t-il. Je suis trop vieux pour courir ainsi.

Mon ami tanuki veille sur le mont Myoko et la multitude d'êtres fantastiques qui s'y cache. Mais, avec l'âge, il se fatigue vite et il a besoin de mon aide.

Je le dépose sur un coussin moelleux. Il semble apprécier ce confort.

– Très agréable, murmure-t-il en fermant les yeux de plaisir. Mais ne nous laissons pas distraire ! J'ai une mission urgente pour toi, Jade !

Je m'asseois à côté de lui, impatiente de l'écouter… quand on frappe à ma porte, pour de bon cette fois.

– Jade ? Je peux entrer ?

Zut ! Mon petit frère ! Je glisse le coussin derrière moi pour cacher Akihiro. Zaka fait coulisser ma porte au même moment.

– Je ne t'ai pas dit d'entrer ! je proteste.

– Avec qui tu parlais ? me demande mon petit frère sans faire attention à ma remarque.

– Moi ? Avec personne !

– Tu mens ! Je t'ai entendue ! Avec qui tu joues ?

Zaka fronce ses petits sourcils bruns et il tend le cou pour essayer d'inspecter ma chambre.

– Ça suffit. Maintenant, tu sors, sinon…

– Sinon quoi ? me réplique mon petit frère avec un air de défi.

– Sinon je dis à Madame Yamashita que c'est toi qui as jeté de la boue sur sa barrière.

Zaka blêmit. Il ne s'attendait pas à ça. Sans un mot, il recule et referme ma porte.

– Tu sais te montrer persuasive, me félicite Akihiro. Ça tombe bien, j'ai justement besoin de tes talents.

– Je suis prête !

– Il faut vite que tu te rendes à Nagiito, m'explique-t-il.

– Le hameau de pêcheurs qui est tout près d'ici ? En marchant vite, j'y serai dans cinq minutes. Quel est le problème ?

– Cette nuit, les habitants organisent une battue* pour se débarrasser de Doki.

– De qui ?

– Doki. C'est une divinité très ancienne qui habite un sanctuaire* au pied du mont Myoko. Il a l'apparence d'une statue de pierre couverte de mousse, mais il prend vie chaque nuit de pleine lune.

– Et pourquoi les villageois lui en veulent-ils ?

– D'habitude, il est très gentil. Seulement, depuis quelque temps, il semble en colère et il embête les pêcheurs. Il fait chavirer leurs barques, emmêle des branches dans leurs filets et effraie les poissons.

– Ce n'est pas une raison pour le tuer ! je m'exclame.

– Les villageois ne sont pas de cet avis. Mais si tu suis mes indications, tu as une chance de le sauver.

Akihiro le tanuki envoie Jade à Nagiito pour sauver la divinité Doki de la colère des pêcheurs.

# Face à Face

**J**e sors discrètement de ma chambre par la fenêtre. Derrière la vitre, Akihiro m'adresse un petit signe de la patte. Il m'a expliqué où trouver Doki et comment le retransformer en pierre.

« Dès qu'il redevient une statue, personne ne peut plus rien contre lui », m'a-t-il confié.

Malgré ces conseils, je ne suis pas très rassurée. La nuit est presque tombée et le vent dessine des formes étranges sur les rizières alentour.

Je frissonne, persuadée d'entendre des pas derrière moi. Évidemment, il n'y a personne. Si je veux réussir cette mission, je dois calmer mon imagination.

– Oh ! Le sugi ! dis-je en me frappant le front.

Je m'arrête le long du jardin de Madame Yamashita pour en ramasser une branche. Selon Akihiro, le sugi ne sert pas qu'à fouetter les fesses des enfants : c'est aussi un bois magique ! J'espère qu'il dit vrai !

Je m'éloigne par le petit chemin qui rejoint le hameau de Nagiito à travers les champs.

Quelques minutes plus tard, j'arrive près du lac. Il brille comme un grand miroir tranquille au pied du mont Myoko. Je suis les indications d'Akihiro. Au lieu d'aller au village, je tourne à droite, au pied d'un cèdre géant. Je traverse un bosquet de bambous et une clairière s'ouvre devant moi, au pied de la montagne. Un torii[1] à la peinture rouge écaillée délimite l'entrée d'un temple oublié. Un socle fêlé marque l'emplacement du kami, la statue habitée par le dieu. Mais elle n'est plus là : Doki s'est déjà transformé !

[1] Torii : portail traditionnel japonais à l'entrée des sanctuaires.

– Euh… il y a quelqu'un ? je demande en cachant la baguette de sugi dans mon dos.

Une forme bouge au fond de la clairière et deux points rouges s'allument. Doki sort de la pénombre et me fixe de ses deux yeux globuleux. Sa tête est plus grosse que son corps et une dent dépasse de sa bouche.

– J… je viens de la part d'Akihiro, je bafouille.

– Je n'ai besoin de personne. Va-t'en !

Akihiro m'avait prévenue qu'il se mettrait en colère. Je le laisse approcher et, quand il n'est plus qu'à un pas de moi, je sors ma baguette de sugi et lui frappe la tête avec, en criant la formule qu'Akihiro m'a apprise :

*– Redeviens pierre et rendors-toi, sayonara*[1] !

Doki écarquille ses gros yeux. Ses épaules s'affaissent, ses longs bras traînent par terre et ses jambes, bien malgré lui, le reconduisent vers son piédestal.

Au second coup de baguette, il s'asseoit en tailleur sur le socle et ses doigts se joignent sous son menton. Je m'apprête à lui donner un dernier coup, celui qui le retransformera.

– Pitié, gémit-il. Je ne suis pas méchant.

[1] *Sayonara* : "au revoir" en japonais.

Sa voix est si triste que j'arrête net ma baguette à deux centimètres de sa tête.

– Akihiro prétend que les pêcheurs rentrent bredouilles à cause de toi.

– C'est faux ! proteste Doki. Je m'approche seulement du lac pour laver mes haricots rouges de soja. C'est ma nourriture préférée. Je n'y peux rien si des pêcheurs maladroits font chavirer leurs barques, si de vieilles branches se prennent dans leurs filets ou si la pêche est moins bonne certains soirs.

– Dans ce cas, pourquoi les villageois veulent-ils te tuer ? je lui demande.

– Parce que je ne leur ressemble pas, dit-il en reniflant. Avant, les vieux me respectaient. Snif ! Mais aujourd'hui, les plus jeunes me trouvent monstrueux et ils cherchent une excuse pour se débarrasser de moi.

Deux grosses larmes roulent sur ses joues rondes. Il est soudain très attendrissant.

– Brise cette baguette, Jade, me supplie-t-il.

J'écarte la branche et je la casse en deux. Doki se redresse aussitôt et bondit sur moi !

Attendrie par Doki, Jade brise la baguette de sugi. Elle se rend bien vite compte de son erreur !

# un nouvel événement

**D**oki est rapide comme l'éclair. Après m'avoir mise à terre, il m'attache les mains et les pieds avec un morceau de liane. Puis, il se relève en riant :

– À présent, je vais pouvoir continuer à me venger des villageois. Ha ! Ha ! Ils ne méritent plus de pêcher un poisson !

– M… mais attends ! Tu ne peux quand même pas me laisser ici !

– Tu es comme eux, me répond-il. Alors, à toi de te débrouiller !

Et il disparaît dans la nuit.

Je reste seule, ligotée au milieu de ce sanctuaire abandonné. Abandonné, c'est vraiment le mot. La mousse et les herbes l'ont envahi depuis longtemps. Il n'y a plus la moindre trace d'offrande, la fontaine est remplie de feuilles mortes et la corde sacrée qui entoure le socle de la statue est presque entièrement rongée.

– Voilà pourquoi il est en colère, je murmure. Les villageois ne l'honorent plus.

– Tu parles toute seule ? me demande une voix familière.

– Zaka ! Qu'est-ce que tu fais ici ?

– Ben… je t'ai suivie. Je me doutais que tu préparais quelque chose. C'est la créature bizarre qui t'a attachée ?

– Tu l'as vue ?

Oui. J'étais caché dans les bambous et elle est passée près de moi avant de s'enfuir vers le village.

– Le village… Vite ! Libère-moi !

Mon petit frère n'est pas très rassuré. Il défait mes liens, puis il reste collé à moi.

– Merci, Zaka. Je vais pouvoir poursuivre ma mission.

– Je viens avec toi ! s'exclame-t-il aussitôt.

– C'est impossible. Je dois me rendre au village d'urgence. Tu me ralentirais.

– Mais…

– C'est une question de vie ou de mort, Zaka. Retourne à la maison tout de suite et sans discuter. Tu connais le chemin et tu n'en as pas pour longtemps. Tu promets de m'obéir ?

Il hoche la tête à contrecœur. Je me sens coupable de le laisser rentrer seul, mais je n'ai vraiment pas le choix. Si je n'interviens pas, les pêcheurs tueront Doki.

Je quitte la clairière comme une flèche. Je n'ai jamais couru aussi vite. Je remonte le chemin qui longe le lac en sprintant jusqu'au village. Les habitants sont réunis à l'entrée. Ils brandissent des torches enflammées. La chasse va débuter.

– Stop ! je hurle. Ne tuez pas Doki !

En me voyant arriver en gesticulant et en criant, les villageois s'arrêtent. La plupart me connaissent déjà, ou ils savent au moins qu'une « petite Française » vit maintenant près de chez eux. Mais ils sont tous étonnés de m'entendre parler de Doki !

– Pourquoi n'allez-vous plus l'honorer au sanctuaire ? je leur demande.

– Eh bien... Doki est une divinité effrayante, m'explique l'un des hommes. Il fait peur aux plus jeunes et personne n'a plus confiance en lui depuis qu'il est devenu méchant.

– Il a pourtant protégé le village durant des siècles, non ? je rétorque.

– C'est vrai, acquiesce un vieillard assis sur un muret. C'était un bon petit dieu. Très laid mais très serviable.

À ce moment-là, une voix s'élève :

– Doki sabote nos barques !

Un garçon arrive en courant pour prévenir les pêcheurs que Doki est sur les pontons où sont accrochées les embarcations.

– Il a déjà réussi à en faire couler deux en jetant de grosses pierres dessus ! ajoute-t-il.

– Tuons-le cette nuit ! s'emporte un homme.

– Oui ! C'est notre seule chance de nous en débarrasser ! continue un autre.

– C'est un monstre ! rugit un troisième.

Et les pêcheurs se précipitent vers le lac.

Les pêcheurs se lancent à la poursuite de Doki qui a déjà saccagé deux de leurs barques.

# SEULE CONTRE TOUS

**J**e tente de suivre les pêcheurs mais ils courent trop vite pour moi. Quand j'arrive près des pontons, ils sont déjà repartis. Je pense apercevoir les lueurs de leurs torches, un peu plus loin, sur la berge opposée. Ils pourchassent Doki qui a dû prendre la fuite. Je parie qu'il va faire le tour du lac et se réfugier dans son sanctuaire… mais c'est un cul-de-sac et, une fois là-bas, il sera coincé !

Je réfléchis un instant. En les poursuivant, je n'aurai aucune chance de les rattraper.

Mais, si je retourne au sanctuaire par le chemin que j'ai emprunté à l'aller, et qui est beaucoup plus court, j'y serai avant eux. Si Doki arrive le premier, j'aurai le temps de le retransformer en statue pour le sauver.

Sans perdre une seconde, je repars en sens inverse. Le grand-père qui est resté à l'entrée du village m'encourage au passage.

– Vas-y, Jade ! C'est toi qui as raison !

J'ai au moins un supporter !

Quelques minutes plus tard, je parviens au sanctuaire, complètement épuisée. J'ai à peine repris mon souffle que Doki déboule dans la clairière éclairée par la lune. En me voyant, il se calme un peu. J'ai l'impression qu'il est presque content de me retrouver. Il monte sur le socle en pierre et s'écrie :

– Nous n'avons plus le choix, Jade. Fais vite, retransforme-moi en statue !

Je suis heureuse que nous ayons la même idée… mais un frisson me parcourt :

– L… la branche de sugi, je bafouille. Je l'ai brisée tout à l'heure !

– Oh non ! se désespère Doki. J'avais oublié !

Et le pire nous attend ! Des pas résonnent déjà sur le chemin qui traverse le bosquet de bambous. Les pêcheurs entrent bientôt dans la clairière, leurs visages sont déformés par la colère.

– Doki est ici ! crie l'un d'eux. On le tient !

Les lueurs orangées des torches illuminent la nuit. Elles convergent vers nous.

– Laissez-moi tranquille ou vous allez le regretter ! menace Doki.

Malgré sa voix forte et sa silhouette trapue, il n'effraie pas ceux qui le pourchassent.

Le cercle des torches se referme sur nous.

– Arrêtez ! Ne lui faites pas de mal ! je crie en me plaçant devant Doki.

– Pousse-toi, petite, m'ordonne un pêcheur.

– Si vous le tuez, un malheur s'abattra sur votre village.

– C'est parce qu'il est vivant que le malheur nous frappe ! me rétorque l'homme.

Le silence envahit la clairière. Je ne baisse pas les yeux et je soutiens le regard du pêcheur. Les autres attendent derrière lui.

– Au secours… À l'aide…

Je sens mon corps se glacer.

– C… C'est la voix de mon petit-frère !

– Ton frère ? s'étonne le pêcheur.

– Il m'a suivie en cachette. Je lui ai demandé de rentrer à la maison, mais il a dû se tromper de chemin et…

– Les marécages ! me coupe l'homme. Il est sûrement tombé dans la vase !

Les pêcheurs savent que les abords du lac sont dangereux. Chaque seconde compte.

– Répartissons-nous pour augmenter nos chances de les retrouver, dit l'homme.

– Essayons de repérer d'où vient la voix, propose un autre en réclamant le silence.

Doki a profité de ce moment de panique pour s'enfuir. Ma vue se brouille et je sens de grosses larmes couler sur mes joues.

– S... s'il vous plaît, je hoquette, sauvez mon petit frère !

Zaka est en danger ! Oubliant Doki, Jade et les pêcheurs partent aussitôt à la recherche du petit garçon.

# à La RecHeRcHe De Zaka

– **a**u secours…

– Ça vient d'ici !

– Non ! De par là !

Les hommes ne parviennent pas à se mettre d'accord. Moi non plus, je ne réussis pas à être certaine de la direction.

– À l'aide…

Cette fois, les pêcheurs repèrent d'où provient la voix. Au milieu de la nuit, nous nous engageons dans un étroit passage vers le marécage.

Mais au premier croisement, les hommes hésitent. À droite ? À gauche ? Ils attendent un nouvel appel de Zaka avant de se décider. Hélas, plus un cri. La panique me gagne.

– I... il a été englouti par la vase !

– Mais non, tente de me rassurer un pêcheur. Il n'est sûrement pas loin.

Je devine dans son regard qu'il est aussi inquiet que moi.

– Zaka ! j'appelle. ZAKA !

Seul le silence me répond.

– ZAKA ! OÙ ES-TU ?

– Ici, Jade.

Mon cœur s'emballe. Devant nous, dans les lueurs des torches, Doki apparaît. Il porte mon jeune frère dans ses bras. Ils sont tous les deux couverts de boue.

– C'est lui qui m'a sorti de la vase, explique Zaka. En fait, il est drôlement gentil.

Je me précipite pour embrasser mon frère et remercier Doki. Les pêcheurs lâchent des murmures admiratifs.

– Bravo ! Il a risqué sa vie pour sauver l'enfant, répètent-ils.

– Et il revient ici alors qu'il sait que nous voulons le tuer, note un homme.

– Nous l'avons mal jugé, avoue un autre. Ce n'est pas un démon, mais un bon petit dieu.

Doki sourit timidement. Il m'adresse un signe d'adieu et s'apprête à repartir.

– Hé ! Attends ! l'arrête un pêcheur. Viens avec nous au village.

– Oui ! approuve tout le monde. Tu pourras te réchauffer et manger un morceau.

Cette fois, c'est un large sourire qui éclaire le visage rond de Doki. Zaka et moi le prenons par la main et, ensemble, nous partons en direction de Nagiito.

– Merci, Jade, me glisse Doki. Je serais mort sans toi.

– Et sans Akihiro, je réponds.

– Tu le remplaceras un jour, affirme Doki.

Dès notre arrivée au village, les hommes vantent à tous le courage du sauveteur. Ce dernier bombe fièrement le torse !

Les anciens proposent alors d'organiser une fête en son honneur. Le temps pour Doki et Zaka de se laver et les tables sont déjà installées.

De sa petite bourse accrochée à sa ceinture, Doki sort l'équivalent de deux marmites de haricots de soja.

– Tu es un magicien ! je m'exclame.

– Un gros gourmand ! me répond Doki en riant.

– Hélas, nous devons rentrer.

– Déjà ? s'étonne Doki.

Les villageois tentent aussi de nous retenir mais nous sommes partis depuis plus d'une heure et j'ai peur que Madame Yamashita ne s'inquiète.

– Reviens me voir quand tu veux, me lance joyeusement Doki, qui est heureux de faire à nouveau partie de la vie du village.

En sauvant Zaka, Doki a montré aux pêcheurs qu'il était un gentil dieu. Mission accomplie pour Jade !

# LES DORAYAKI

– **R**entre par la fenêtre de ta chambre, Zaka. Je ferai pareil de mon côté.

– Tu n'en parleras pas a Maman ?

– Ce sera notre secret.

Je l'aide à remonter par sa fenêtre, puis je rejoins la mienne. Akihiro guettait mon retour avec impatience.

– Alors ? Tu as réussi ? me demande-t-il.

– Tout ne s'est pas exactement passé comme prévu, mais Doki est sauvé, je réponds avec fierté.

– Je savais que je pouvais compter sur toi. Tu es courageuse et, surtout, tu ne juges pas les gens sur les apparences, n'est-ce pas ?

– Ben…, je bafouille en rougissant.

Mon ami tanuki grimpe sur le bord de ma fenêtre avec un éclat de malice dans les yeux.

– Bonne soirée avec Madame Yamashita. Elle est très gentille, ajoute-t-il, même s'il vaut mieux recompter ses doigts après lui avoir serré la main. Surtout les jours où elle prépare sa soupe ! Hi ! Hi !

– Je te promets d'y faire attention.

– À bientôt, Jade ! me salue Akihiro avant de disparaître dans la nuit.

Je referme la fenêtre et je me dépêche d'aller frapper aux portes de Zaka et Makoto.

– Venez vite ! Allons manger !

Une vague de musique rock s'échappe de la chambre de ma sœur :

– Quoi ? Tu veux dîner avec la vieille Yamas…

– Stop ! Si nous sommes méchants avec elle, elle le sera avec nous. Alors, essayons d'être sympa et d'apprendre à la connaître.

– Jade a raison, intervient Zaka. Et puis, j'ai drôlement faim !

– Moi aussi ! avoue Makoto.

Nous éclatons de rire et nous rejoignons le salon où Madame Yamashita a dressé la table.

Elle nous lance un regard méfiant. Nous nous excusons de l'avoir aussi mal accueillie. Zaka jure même de ne plus jamais envoyer de boue sur sa barrière.

– Vous parlez avec le cœur, se réjouit notre voisine. J'accepte vos excuses.

Pour nous récompenser, elle décide de réchauffer le repas qu'elle nous avait préparé.

– Goûtez mes dorayaki[1] fourrés au miel. Sans me vanter, ce sont les meilleurs du Japon !

Ce ne sont pas des paroles en l'air. Ses crêpes sont savoureuses. Je remarque alors un sac de haricots rouges dans la cuisine.

– Je les réduis en farine pour confectionner les dorayaki, m'explique Madame Yamashita.

– Mais où avez-vous trouvé cette recette ?

– Je suis née à Nagiito. Les pêcheurs du village me l'ont apprise. Ils faisaient ces pâtisseries pour les offrir à une divinité qu'ils appelaient Do…

– Doki ! je m'exclame.

– C'est bien possible, me répond Madame Yamashita.

– Je peux mettre un dorayaki de côté pour faire une offrande à Doki, demain ?

---

[1] Dorayaki : pâtisserie japonaise ressemblant aux crêpes.

– Excellente idée mais gardes-en quatre ou cinq car je crois savoir qu'il est très gourmand !

Elle m'adresse un clin d'œil et s'amuse de mon étonnement… pendant que Makoto et Zaka se gavent. Je me dépêche de manger avant qu'ils ne dévorent ma part !

– Attention de ne pas vous mordre les doigts ! nous lance Madame Yamashita en riant.

# ① LES aUTeURS

**Marc et Isabel Cantin**

Ils ont, à peu de chose près, le même âge. Ils mangent, vivent et, depuis quelques années, écrivent ensemble ! Drôle de couple que les voyages à la découverte d'autres cultures ont conduit un jour au Japon. Un pays aussi riche en légendes et en croyances ne pouvait pas les laisser indifférents : comme à leur habitude, ils ont imaginé à deux têtes et écrit à quatre mains ces aventures où l'humour et la sagesse se mélangent.

## ② L'iLLUSTRaTeuR

**Caroline Piochon**

D'aussi loin qu'elle se rappelle, Caroline a toujours aimé gribouiller pendant des heures, et regarder toutes sortes de dessins animés. Alors, après ses études à l'école des Gobelins, elle est devenue dessinatrice d'animation et se passionne pour le cinéma japonais. C'est donc avec beaucoup de plaisir qu'elle s'est plongée dans ce royaume magique pour donner vie à Jade et sa famille dans ce pays si particulier.

②

# TaBLe Des maTièRes

Achevé d'imprimer en janvier 2011,
chez Pollina (France) - L55948.